Geiriadur
Lliwgar y Plant

Illustrated Dictionary for Children

 Cymraeg
 Saesneg
 Ffrangeg
 Sbaeneg
 Almaeneg

C = Cymraeg   **EN** = Saesneg   **FR** = Ffrangeg

ES = Sbaeneg   **DE** = Almaeneg

Y Teulu

EN The Family   **FR** La Famille

ES La Familia   **DE** Die Familie

C Plant
EN Children
FR Enfants
ES Niños
DE Kinder

C Pobl ifanc
EN Teenagers
FR Adolescents
ES Adolescentes
DE Jugendliche

C Babanod
EN Babies
FR Bébés
ES Bebés
DE Babys

C Bachgen bach
EN Young boy
FR Petit garçon
ES Niño
DE Junge

C Merch fach
EN Young girl
FR Petite fille
ES Niña
DE Mädchen

C Bachgen
EN Boy
FR Jeune homme
ES Chico
DE Junge

C Merch
EN Girl
FR Jeune fille
ES Chica
DE Mädchen

C Dyn
EN Man
FR Homme
ES Hombre
DE Mann

C Rhieni
EN Parents
FR Parents
ES Padres
DE Eltern

C Cwpwl
EN Couple
FR Couple
ES Pareja
DE Ehepaar

C Beichiog
EN Pregnant
FR Enceinte
ES Embarazada
DE Schwanger

C Gŵr
EN Husband
FR Mari
ES Marido
DE Ehemann

C Gwraig
EN Wife
FR Femme
ES Esposa
DE Ehefrau

C Oedolion
EN Adults
FR Adultes
ES Adultos
DE Erwachsene

C Dynes
EN Woman
FR Femme
ES Mujer
DE Frau

C Tad
EN Father
FR Père
ES Padre
DE Vater

C Mam
EN Mother
FR Mère
ES Madre
DE Mutter

C Mab
EN Son
FR Fils
ES Hijo
DE Sohn

C Merch
EN Daughter
FR Fille
ES Hija
DE Tochter

C Ewythr
EN Uncle
FR Oncle
ES Tío
DE Onkel

C Modryb
EN Aunt
FR Tante
ES Tía
DE Tante

C Efeilliaid
EN Twins
FR Jumeaux
ES Mellizos
DE Zwillinge

C Cefnder
EN Cousin
FR Cousin
ES Primo
DE Cousin

C Pedr
EN Peter
FR Pierre
ES Pedro
DE Peter

C Mari
EN Mary
FR Marie
ES María
DE Maria

C Cyfnither
EN Cousin
FR Cousine
ES Prima
DE Cousine

C Ŵyr
EN Grandson
FR Petit-fils
ES Nieto
DE Enkel

C Wyres
EN Grand-daughter
FR Petit-fille
ES Nieta
DE Enkelin

C Bonheddwr
EN Gentleman
FR Monsieur
ES Señor
DE Herr

C Nain/Mam-gu
EN Grandmother
FR Grand-mère
ES Abuela
DE Großmutter

C Boneddiges
EN Lady
FR Madame
ES Señora
DE Dame

C Taid/Tad-cu
EN Grandfather
FR Grand-père
ES Abuelo
DE Großvater

C = Cymraeg | **EN** = Saesneg | **FR** = Ffrangeg | **ES** = Sbaeneg | **DE** = Almaeneg

Y Corff

EN The Human Body   **FR** Le Corps Humain

ES El Cuerpo Humano   **DE** Der Menschliche Körper

C **Tafod**
EN Tongue
FR Langue
ES Lengua
DE Zunge

C **Clust**
EN Ear
FR Oreille
ES Oreja
DE Ohr

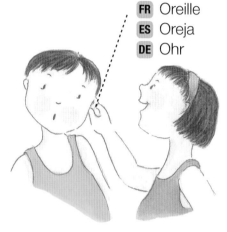

C **Gwefusau**
EN Lips
FR Lèvres
ES Labios
DE Lippen

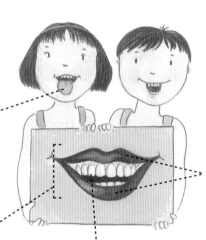

C **Ceg**
EN Mouth
FR Bouche
ES Boca
DE Mund

C **Dannedd**
EN Teeth
FR Dents
ES Dientes
DE Zähne

C **Boch**
EN Cheek
FR Joue
ES Mejilla
DE Wange

C **Trwyn**
EN Nose
FR Nez
ES Nariz
DE Nase

C **Gwallt**
EN Hair
FR Cheveux
ES Pelo
DE Haar

C **Talcen**
EN Forehead
FR Front
ES Frente
DE Stirn

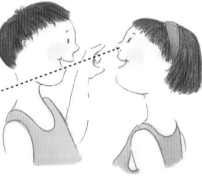

C **Llygad**
EN Eye
FR Oeil
ES Ojo
DE Auge

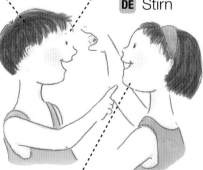

C **Ael**
EN Eyebrow
FR Sourcil
ES Ceja
DE Augenbraue

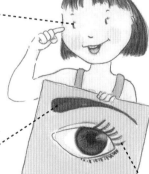

C **Amrannau**
EN Eyelashes
FR Cils
ES Pestañas
DE Wimpern

C **Gên**
EN Chin
FR Menton
ES Mentón
DE Kinn

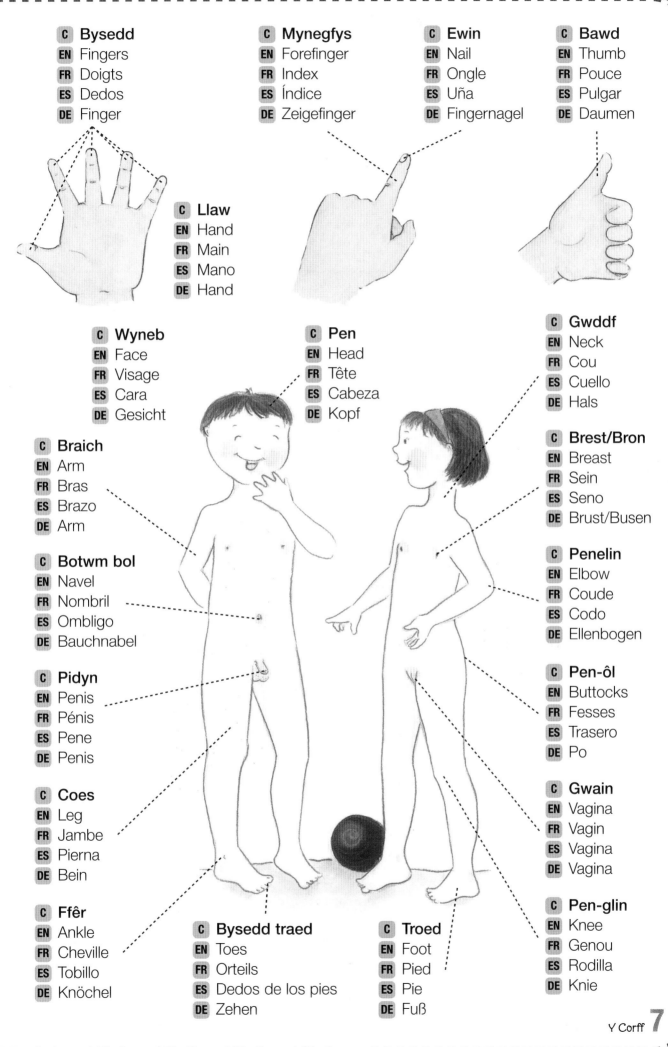

C Bysedd
EN Fingers
FR Doigts
ES Dedos
DE Finger

C Mynegfys
EN Forefinger
FR Index
ES Índice
DE Zeigefinger

C Ewin
EN Nail
FR Ongle
ES Uña
DE Fingernagel

C Bawd
EN Thumb
FR Pouce
ES Pulgar
DE Daumen

C Llaw
EN Hand
FR Main
ES Mano
DE Hand

C Wyneb
EN Face
FR Visage
ES Cara
DE Gesicht

C Pen
EN Head
FR Tête
ES Cabeza
DE Kopf

C Gwddf
EN Neck
FR Cou
ES Cuello
DE Hals

C Braich
EN Arm
FR Bras
ES Brazo
DE Arm

C Brest/Bron
EN Breast
FR Sein
ES Seno
DE Brust/Busen

C Botwm bol
EN Navel
FR Nombril
ES Ombligo
DE Bauchnabel

C Penelin
EN Elbow
FR Coude
ES Codo
DE Ellenbogen

C Pidyn
EN Penis
FR Pénis
ES Pene
DE Penis

C Pen-ôl
EN Buttocks
FR Fesses
ES Trasero
DE Po

C Coes
EN Leg
FR Jambe
ES Pierna
DE Bein

C Gwain
EN Vagina
FR Vagin
ES Vagina
DE Vagina

C Ffêr
EN Ankle
FR Cheville
ES Tobillo
DE Knöchel

C Bysedd traed
EN Toes
FR Orteils
ES Dedos de los pies
DE Zehen

C Troed
EN Foot
FR Pied
ES Pie
DE Fuß

C Pen-glin
EN Knee
FR Genou
ES Rodilla
DE Knie

Y Corff **7**

Nodweddion

C Gwallt hir
EN Long hair
FR Cheveux longs
ES Pelo largo
DE Langes Haar

C Gwallt byr
EN Short hair
FR Cheveux courts
ES Pelo corto
DE Kurzes Haar

C Gwallt cyrliog
EN Curly hair
FR Cheveux frisés
ES Pelo rizado
DE Lockiges Haar

C Gwallt tonnog
EN Wavy hair
FR Cheveux bouclés
ES Pelo ondulado
DE Gewelltes Haar

C Gwallt syth
EN Straight hair
FR Cheveux raides
ES Pelo liso
DE Glattes Haar

C Plethi
EN Pigtails
FR Natte
ES Trenza
DE Zopf

C Byn
EN Bun
FR Chignon
ES Moño
DE Haarknoten

C Cynffon merlen
EN Ponytail
FR Queue-de-cheval
ES Cola de caballo
DE Pferdeschwanz

C Pen moel
EN Bald head
FR Chauve
ES Calva
DE Glatze

C Barf
EN Beard
FR Barbe
ES Barba
DE Bart

C Mwstash
EN Moustache
FR Moustache
ES Bigote
DE Schnurrbart

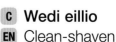

C Wedi eillio
EN Clean-shaven
FR Rasé
ES Afeitado
DE Rasiert

C **Gwallt crychlyd**
EN Frizzy hair
FR Cheveux crépus
ES Crespo
DE Kraushaar

C **Gwallt coch**
EN Red hair
FR Roux
ES Pelirrojo
DE Rothaarig

C **Gwallt golau**
EN Fair hair
FR Blond
ES Rubio
DE Blond

C **Gwallt brown**
EN Brown hair
FR Brun
ES Pelo castaño
DE Dunkelhaarig

C **Tal**
EN Tall
FR Grand
ES Alto
DE Groß

C **Byr**
EN Short
FR Petit
ES Bajo
DE Klein

C **Tew**
EN Fat
FR Gros
ES Gordo
DE Dick

C **Tenau**
EN Thin
FR Maigre
ES Delgado
DE Dünn

C **Taldra**
EN Height
FR Taille
ES Altura
DE Größe

C **Pwysau**
EN Weight
FR Poids
ES Peso
DE Gewicht

C = Cymraeg | **EN** = Saesneg | **FR** = Ffrangeg | **ES** = Sbaeneg | **DE** = Almaeneg

Y Synhwyrau

C Blasu
EN Taste
FR Goût
ES Gusto
DE Schmecken

C Clywed
EN Hearing
FR Ouïe
ES Oído
DE Hören

C Arogli
EN Smell
FR Odorat
ES Olfato
DE Riechen

C Gweld
EN Sight
FR Vue
ES Vista
DE Sehen

C Teimlo
EN Touch
FR Toucher
ES Tacto
DE Tasten

Gwneud Pethau

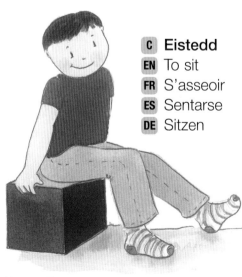

C Eistedd
EN To sit
FR S'asseoir
ES Sentarse
DE Sitzen

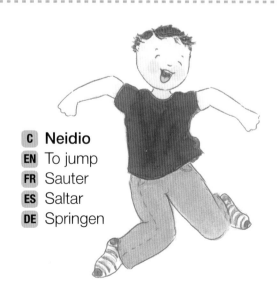

C Neidio
EN To jump
FR Sauter
ES Saltar
DE Springen

C **Gwthio**
EN To push
FR Pousser
ES Empujar
DE Schieben

C **Tynnu**
EN To pull
FR Tirer
ES Tirar
DE Ziehen

C **Gorwedd**
EN To lie down
FR Se coucher
ES Acostarse
DE Sich hinlegen

C **Sefyll yn llonydd**
EN Stand still
FR S'arrêter
ES Estar parado
DE Stehen

C **Cerdded**
EN To walk
FR Marcher
ES Caminar
DE Gehen

C **Rhedeg**
EN To run
FR Courrir
ES Correr
DE Laufen

Safleoedd

C Ar
EN On
FR Sur
ES Encima
DE Oben

C O dan
EN Below
FR Sous
ES Debajo
DE Unten

C Tu ôl
EN Behind
FR Derrière
ES Detrás
DE Hinten

C O flaen
EN In front of
FR Devant
ES Delante
DE Vorne

C Wrth ymyl
EN Next to
FR À côté
ES Al lado
DE Neben

C Y chwith
EN Left
FR Gauche
ES Izquierda
DE Links

C Y dde
EN Right
FR Droite
ES Derecha
DE Rechts

C Tu allan
EN Outside
FR Dehors
ES Fuera
DE Außen

C Tu mewn
EN Inside
FR Dedans
ES Dentro
DE Innen

C Sefyll
EN Standing
FR Debout
ES De pie
DE Stehend

C Gorwedd
EN Lying down
FR Couché
ES Tumbado
DE Liegend

Teimladau

EN Emotions   **FR** L'émotions   **ES** Emociones   **DE** Gefühle

C Gweiddi
EN To shout
FR Crier
ES Gritar
DE Schreien

C Gwenu
EN To smile
FR Sourire
ES Sonreír
DE Lächeln

C Chwerthin
EN To laugh
FR Rire
ES Reír
DE Lachen

C Crio
EN To cry
FR Pleurer
ES Llorar
DE Weinen

C Blin
EN Angry
FR Fâché
ES Enfadado
DE Wütend

C Hapus
EN Happy
FR Heureux
ES Contento
DE Fröhlich

C Trist
EN Sad
FR Triste
ES Triste
DE Traurig

C Syn
EN Surprised
FR Etonné
ES Sorprendido
DE Erstaunt

Dillad

EN Clothes
FR Les Vêtements
ES La Ropa
DE Kleidung

C Gwasgod
EN Waistcoat
FR Gilet
ES Chaleco
DE Pullunder

C Siwmper
EN Jumper
FR Pull
ES Jersey
DE Pullover

C Oferôl
EN Overalls
FR Salopette
ES Pantalón peto
DE Latzhose

C Crys T
EN T-shirt
FR T-shirt
ES Camiseta
DE T-Shirt

C Côt
EN Coat
FR Veston
ES Chaquetón
DE Jacke

C Blows
EN Blouse
FR Chemisier
ES Blusa
DE Bluse

C Sgert
EN Skirt
FR Jupe
ES Falda
DE Rock

C Trowsus
EN Trousers
FR Pantalon
ES Pantalón
DE Hose

C Crys
EN Shirt
FR Chemise
ES Camisa
DE Hemd

C Siorts
EN Shorts
FR Short
ES Calzón
DE Shorts

C Ffrog
EN Dress
FR Robe
ES Vestido
DE Kleid

C Tracwisg
EN Tracksuit
FR Survêtement
ES Chándal
DE Trainingsanzug

C Bra
EN Bra
FR Soutien-gorge
ES Sujetador
DE BH

C Pyjamas
EN Pyjamas
FR Pyjama
ES Pijama
DE Schlafanzug

C Nicer
EN Knickers
FR Culotte
ES Braga
DE Schlüpfer

C Coban
EN Nightie
FR Chemise de nuit
ES Camisón
DE Nachthemd

C Tei
EN Tie
FR Cravate
ES Corbata
DE Krawatte

C Het
EN Hat
FR Chapeau
ES Sombrero
DE Hut

C Bag
EN Bag
FR Sac à main
ES Bolso
DE Tasche

C Gwregys
EN Belt
FR Ceinture
ES Cinturón
DE Gürtel

C Botymau
EN Buttons
FR Boutons
ES Botones
DE Knöpfe

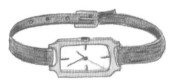

C Oriawr
EN Watch
FR Montre
ES Reloj
DE Armbanduhr

C Cadwyn
EN Necklace
FR Collier
ES Collar
DE Halskette

C Modrwy
EN Ring
FR Bague
ES Anillo
DE Ring

C Sgarff
EN Scarf
FR Cache-col
ES Bufanda
DE Schal

C Sbectol
EN Glasses
FR Lunettes
ES Gafas
DE Brille

C Clustlysau
EN Earrings
FR Boucles d'oreille
ES Pendientes
DE Ohrringe

C Gwisg nofio
EN Swimsuit
FR Maillot de bain
ES Bañador
DE Badeanzug

C **Esgid sawdl uchel**
EN High-heeled shoe
FR Chaussure à talon
ES Zapato de tacón
DE Stöckelschuh

C **Esgid**
EN Shoe
FR Chaussure
ES Zapato
DE Schuh

C **Esgid law**
EN Boot
FR Botte
ES Bota
DE Stiefel

C **Treinyr/Esgid ymarfer**
EN Trainer
FR Tennis
ES Zapatillas
DE Sportschuh

C **Sandal**
EN Sandal
FR Sandale
ES Sandalia
DE Sandale

C **Sanau**
EN Socks
FR Chaussetes
ES Calcetines
DE Socken

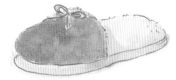

C **Sliper**
EN Slipper
FR Chaussons
ES Chinela
DE Hausschuhe

C **Menig**
EN Gloves
FR Gants
ES Guantes
DE Handschuhe

C **Bicini**
EN Bikini
FR Bikini
ES Bikini
DE Bikini

C **Cap**
EN Cap
FR Casquette
ES Gorra
DE Kappe

C **Het wlân**
EN Bobble Hat
FR Bonnet
ES Gorro
DE Mütze

Dillad **17**

Bwyd

EN Food
FR Les Aliments
ES Los Alimentos
DE Lebensmittel

C Sudd
EN Juice
FR Jus
ES Zumo
DE Saft

C Gwin
EN Wine
FR Vin
ES Vino
DE Wein

C Dŵr
EN Water
FR Eau
ES Agua
DE Wasser

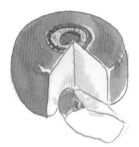

C Caws
EN Cheese
FR Fromage
ES Queso
DE Käse

C Menyn
EN Butter
FR Beurre
ES Mantequilla
DE Butter

C Iogwrt
EN Yoghurt
FR Yaourt
ES Yogur
DE Joghurt

C Llaeth
EN Milk
FR Lait
ES Leche
DE Milch

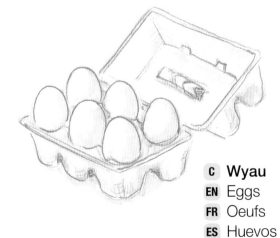

C Wyau
EN Eggs
FR Oeufs
ES Huevos
DE Eier

C Reis
EN Rice
FR Riz
ES Arroz
DE Reis

C Blawd
EN Flour
FR Farine
ES Harina
DE Mehl

C Grawnfwyd
EN Cereal
FR Céréales
ES Cereales
DE Getreide

C Siwgr
EN Sugar
FR Sucre
ES Azúcar
DE Zucker

C Bara
EN Bread
FR Pain
ES Pan
DE Brot

C Olew
EN Oil
FR Huile
ES Aceite
DE Öl

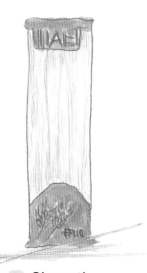

C Sbageti
EN Spaghetti
FR Spaghettis
ES Espaguetis
DE Spaghetti

C Olew olewydd
EN Olive oil
FR Huile d'olive
ES Aceite de oliva
DE Olivenöl

C Pupur
EN Pepper
FR Poivre
ES Pimienta
DE Pfeffer

C Halen
EN Salt
FR Sel
ES Sal
DE Salz

C Jam
EN Jam
FR Confiture
ES Mermelada
DE Marmelade

C Mêl
EN Honey
FR Miel
ES Miel
DE Honig

C Cacen
EN Cake
FR Gâteau
ES Pastel
DE Kuchen

C Melysion
EN Sweets
FR Bonbons
ES Caramelos
DE Bonbons

C Coffi
EN Coffee
FR Café
ES Café
DE Kaffee

C Bisgedi
EN Biscuits
FR Biscuits
ES Galletas
DE Kekse

C Siocled
EN Chocolate
FR Chocolat
ES Chocolate
DE Schokolade

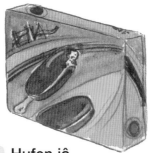

C Hufen iâ
EN Ice cream
FR Glace
ES Helado
DE Eis

C Selsig
EN Sausages
FR Saucisses
ES Salchichas
DE Würstchen

C Tiwna
EN Tuna
FR Thon
ES Atún
DE Thunfisch

C Penfras
EN Cod
FR Morue
ES Bacalao
DE Dorsch

C **Pysgodyn**
EN Fish
FR Poisson
ES Pescado
DE Fisch

C **Cyw iâr**
EN Chicken
FR Poulet
ES Pollo
DE Hähnchen

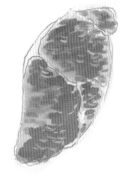

C **Cig moch**
EN Bacon
FR Lard fumé
ES Beicon
DE Speck

C **Cig**
EN Meat
FR Viande
ES Carne
DE Fleisch

C **Ham**
EN Ham
FR Jambon
ES Jamón York
DE Schinken

C **Stecen**
EN Steak
FR Bifteck
ES Filete
DE Steak

C **Selsigen**
EN Sausage
FR Saucission
ES Salchicha
DE Wurst

C **Golwyth porc**
EN Pork chop
FR Côtelette de porc
ES Chuleta de cerdo
DE Schweinekotelett

C **Coco**
EN Cocoa
FR Cacao
ES Cacao en polvo
DE Kakao

C **Ci poeth**
EN Hot-dog
FR Hot dog
ES Perrito caliente
DE Hot dog

C **Pitsa**
EN Pizza
FR Pizza
ES Pizza
DE Pizza

C **Hambyrger**
EN Hamburger
FR Hamburguer
ES Hamburguesa
DE Hamburger

C **Sos coch**
EN Ketchup
FR Ketchup
ES Ketchup
DE Ketchup

C **Creision**
EN Crisps
FR Pommes frites chips
ES Patatas fritas
DE Pommes frites chips

C **Tarten ffrwythau**
EN Fruit tart
FR Tarte aux fruits
ES Tarta de frutas
DE Obstkuchen

Bwyd **21**

Ffrwythau

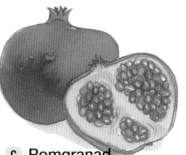

C Pomgranad
EN Pomegranate
FR Grenade
ES Granada
DE Granatapfel

C Mafonen
EN Raspberry
FR Framboise
ES Frambuesa
DE Himbeere

C Eirin gwlanog
EN Peaches
FR Pêche
ES Melocotón
DE Pfirsich

C Afal
EN Apple
FR Pomme
ES Manzana
DE Apfel

C Grawnwin
EN Grapes
FR Raisins
ES Uvas
DE Weintrauben

C Pinafal
EN Pineapple
FR Ananas
ES Piña
DE Ananas

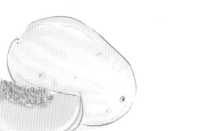

C Melon
EN Melon
FR Melon
ES Melón
DE Honigmelone

C Gellygen
EN Pear
FR Poire
ES Pera
DE Birne

C Melon dŵr
EN Watermelon
FR Pastèque
ES Sandía
DE Wassermelone

C Ceirios
EN Cherries
FR Cerises
ES Cerezas
DE Kirschen

C Banana
EN Banana
FR Banane
ES Plátano
DE Banane

C Coconyt
EN Coconut
FR Noix de coco
ES Coco
DE Kokosnuss

C Mefusen
EN Strawberry
FR Fraise
ES Fresa
DE Erdbeere

C Papaia
EN Papaya
FR Papaye
ES Papaya
DE Papaya

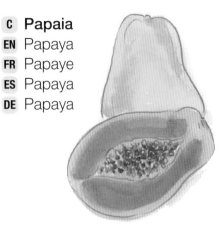

C Eirin
EN Plums
FR Prunes
ES Ciruelas
DE Pflaumen

C Cnau castan
EN Chestnuts
FR Châtaignes
ES Castañas
DE Kastanien

C Cneuen Ffrengig
EN Walnut
FR Noix
ES Nuez
DE Walnuss

C Mango
EN Mango
FR Mangue
ES Mango
DE Mango

C Lemonau
EN Lemons
FR Citrons
ES Limones
DE Zitronen

C Ciwi
EN Kiwi
FR Kiwi
ES Kiwi
DE Kiwi

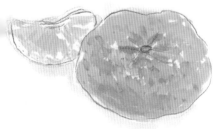

C Tanjerîn
EN Tangerine
FR Mandarine
ES Mandarina
DE Mandarine

C Oren
EN Orange
FR Orange
ES Naranja
DE Apfelsine

C Ffigysen
EN Fig
FR Figue
ES Higo
DE Feige

Bwyd **23**

Llysiau

C Pwmpen
EN Pumpkin
FR Citrouille
ES Calabaza
DE Kürbis

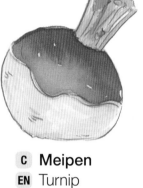

C Meipen
EN Turnip
FR Navet
ES Nabo
DE Rübe

C Tomato
EN Tomato
FR Tomate
ES Tomate
DE Tomate

C Ffa Ffrengig
EN French beans
FR Haricot vert
ES Judías verdes
DE Grüne Bohnen

C Pys
EN Peas
FR Petits-pois
ES Guisantes
DE Erbsen

C Ffa
EN Broad beans
FR Fèves
ES Habas
DE Saubohnen

C Tatws
EN Potatoes
FR Pommes de terre
ES Patatas
DE Kartoffeln

C Ffacbys
EN Chick peas
FR Pois chiches
ES Garbanzos
DE Kichererbsen

C Ffa Haricot
EN Haricot beans
FR Haricot sec
ES Judías
DE Bohnen

C Moronen
EN Carrot
FR Carotte
ES Zanahoria
DE Möhre

C Nionyn
EN Onion
FR Oignon
ES Cebolla
DE Zwiebel

C Garlleg
EN Garlic
FR Ail
ES Ajo
DE Knoblauch

C Bresychen
EN Cabbage
FR Chou
ES Col
DE Kohl

C Radish
EN Radish
FR Radis
ES Rábano
DE Radieschen

C Letysen
EN Lettuce
FR Laitue
ES Lechuga
DE Kopfsalat

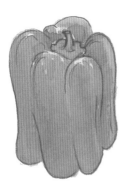

C Pupur gwyrdd
EN Green pepper
FR Poivron
ES Pimiento verde
DE Paprika

C Blodfresychen
EN Cauliflower
FR Chou-fleur
ES Coliflor
DE Blumenkohl

C Planhigyn wy
EN Aubergine
FR Aubergine
ES Berenjena
DE Aubergine

C Brocoli
EN Broccoli
FR Brocoli
ES Brócoli
DE Broccoli

C Ciwcymber
EN Cucumber
FR Concombre
ES Pepino
DE Gurke

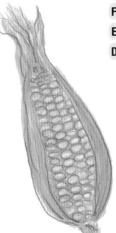

C Corn
EN Corn
FR Maïs
ES Maíz
DE Mais

C Cenhinen
EN Leek
FR Poireau
ES Puerro
DE Porree

Bwyd **25**

Planhigion

EN Plants
ES Las Plantas
FR Les Plantes
DE Pflanzen

C Coeden
EN Tree
FR Arbre
ES Árbol
DE Baum

C Dail
EN Leaves
FR Feuilles
ES Hojas
DE Blätter

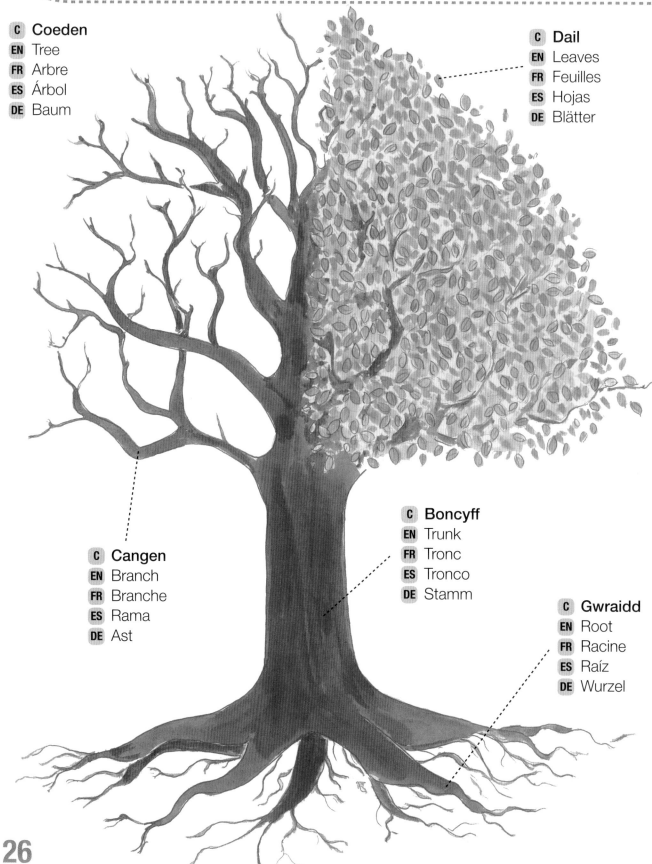

C Cangen
EN Branch
FR Branche
ES Rama
DE Ast

C Boncyff
EN Trunk
FR Tronc
ES Tronco
DE Stamm

C Gwraidd
EN Root
FR Racine
ES Raíz
DE Wurzel

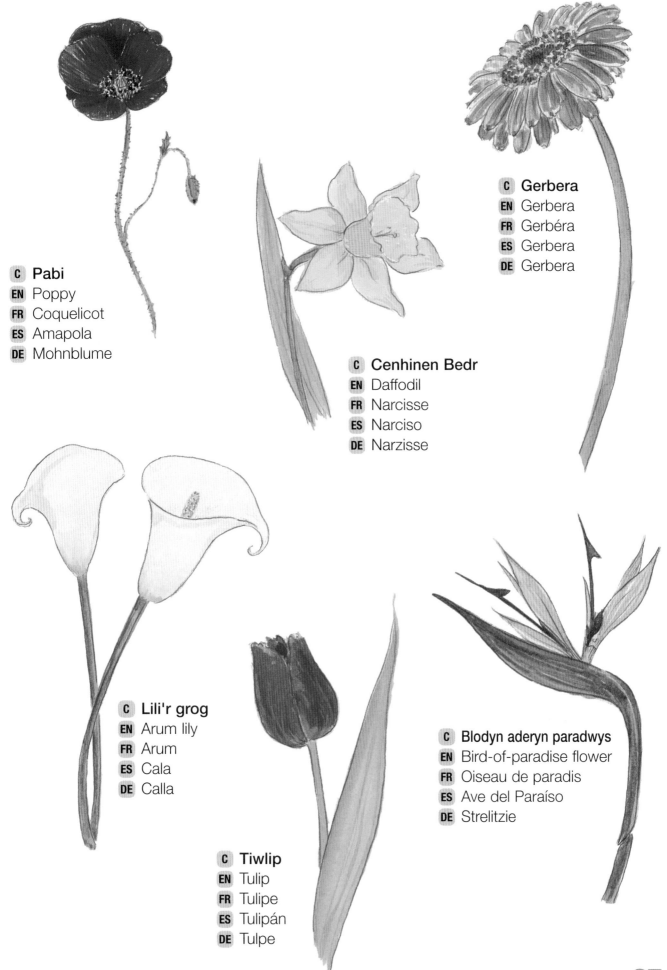

C **Pabi**
EN Poppy
FR Coquelicot
ES Amapola
DE Mohnblume

C **Gerbera**
EN Gerbera
FR Gerbéra
ES Gerbera
DE Gerbera

C **Cenhinen Bedr**
EN Daffodil
FR Narcisse
ES Narciso
DE Narzisse

C **Lili'r grog**
EN Arum lily
FR Arum
ES Cala
DE Calla

C **Blodyn aderyn paradwys**
EN Bird-of-paradise flower
FR Oiseau de paradis
ES Ave del Paraíso
DE Strelitzie

C **Tiwlip**
EN Tulip
FR Tulipe
ES Tulipán
DE Tulpe

C Blodau'r gwenyn
EN Marigold
FR Marguerite
ES Margarita
DE Margerite

C Petal
EN Petal
FR Pétale
ES Pétalo
DE Blütenblatt

C Rhosyn
EN Rose
FR Rose
ES Rosa
DE Rose

C Blaguryn
EN Bud
FR Bouton
ES Capullo
DE Knospe

C Deilen
EN Leaf
FR Feuille
ES Hoja
DE Blatt

C Coesyn
EN Stalk
FR Tige
ES Tallo
DE Stengel

C Tegeirian
EN Orchid
FR Orchidée
ES Orquídea
DE Orchidee

C Blodyn yr haul
EN Sunflower
FR Tournesol
ES Girasol
DE Sonnenblume

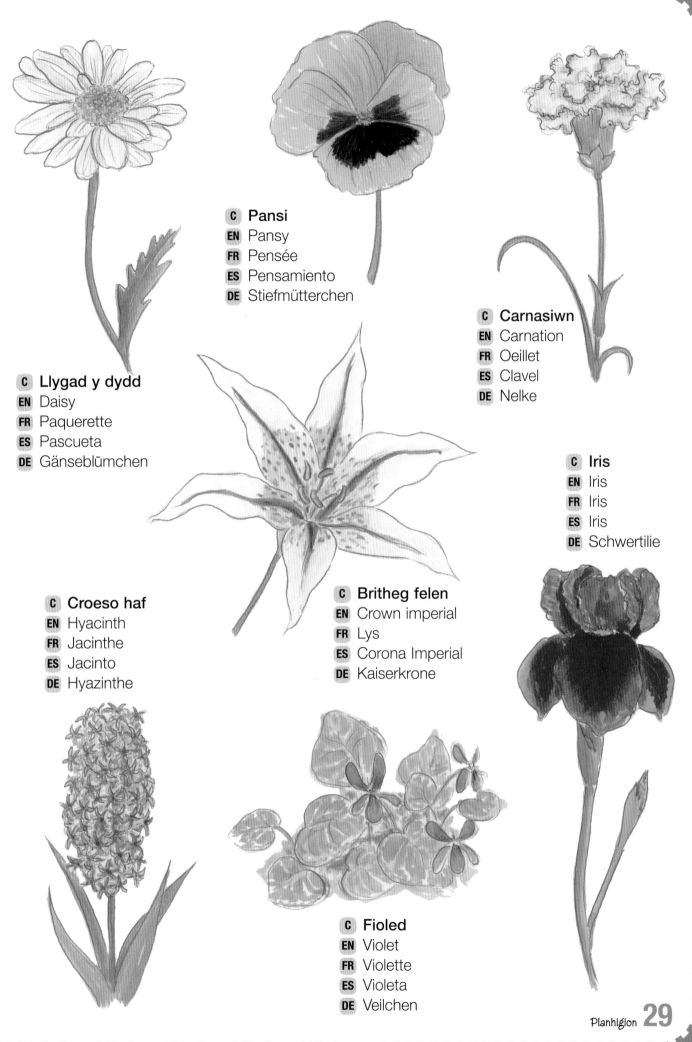

C Pansi
EN Pansy
FR Pensée
ES Pensamiento
DE Stiefmütterchen

C Carnasiwn
EN Carnation
FR Oeillet
ES Clavel
DE Nelke

C Llygad y dydd
EN Daisy
FR Paquerette
ES Pascueta
DE Gänseblümchen

C Iris
EN Iris
FR Iris
ES Iris
DE Schwertilie

C Croeso haf
EN Hyacinth
FR Jacinthe
ES Jacinto
DE Hyazinthe

C Britheg felen
EN Crown imperial
FR Lys
ES Corona Imperial
DE Kaiserkrone

C Fioled
EN Violet
FR Violette
ES Violeta
DE Veilchen

Planhigion **29**

Anifeiliaid

EN Animals **FR** Les Animaux
ES Los Animales **DE** Tiere

C Llew
EN Lion
FR Lion
ES León
DE Löwe

C Mwnci
EN Monkey
FR Singe
ES Mono
DE Affe

C Teigr
EN Tiger
FR Tigre
ES Tigre
DE Tiger

C Llewpard
EN Leopard
FR Léopard
ES Leopardo
DE Leopard

C Sebra
EN Zebra
FR Zèbre
ES Cebra
DE Zebra

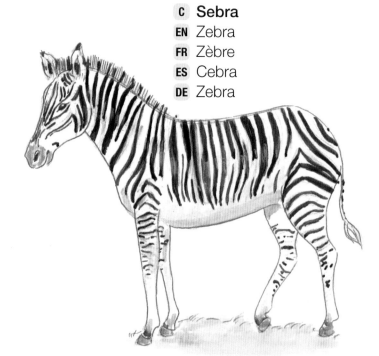

C **Hipopotamws**
EN Hippopotamus
FR Hippopotame
ES Hipopótamo
DE Nilpferd

C **Ysgithr**
EN Tusk
FR Défense
ES Colmillo
DE Stoßzahn

C **Trwnc**
EN Trunk
FR Trompe
ES Trompa
DE Rüssel

C **Eliffant**
EN Elephant
FR Éléphant
ES Elefante
DE Elefant

C **Jiráff**
EN Giraffe
FR Girafe
ES Jirafa
DE Giraffe

C **Crocodeil**
EN Crocodile
FR Crocodile
ES Cocodrilo
DE Krokodil

C **Rhinoseros**
EN Rhinoceros
FR Rhinocéros
ES Rinoceronte
DE Nashorn

Anifeiliaid **31**

C Cefn crwm
EN Hump
FR Bosse
ES Joroba
DE Höcker

C Dromedari
EN Dromedary
FR Dromadaire
ES Dromedario
DE Dromedar

C Gorila
EN Gorilla
FR Gorille
ES Gorila
DE Gorilla

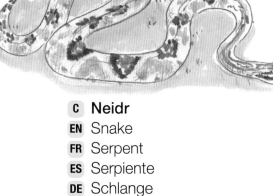

C Fflamingo
EN Flamingo
FR Flamant
ES Flamenco
DE Flamingo

C Neidr
EN Snake
FR Serpent
ES Serpiente
DE Schlange

C Estrys
EN Ostrich
FR Autruche
ES Avestruz
DE Strauß

C Panda
EN Panda
FR Panda
ES Oso panda
DE Panda

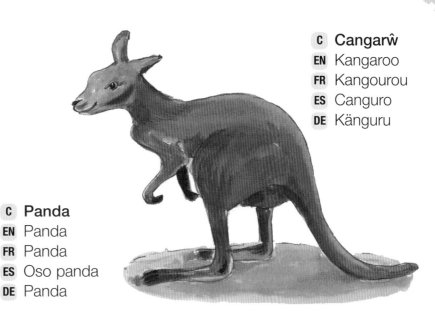

C Cangarŵ
EN Kangaroo
FR Kangourou
ES Canguro
DE Känguru

C Draenog
EN Hedgehog
FR Hérisson
ES Erizo
DE Igel

C Gwiwer
EN Squirrel
FR Écureuil
ES Ardilla
DE Eichhörnchen

C Llyffant
EN Frog
FR Grenouille
ES Rana
DE Frosch

C Llygoden
EN Mouse
FR Souris
ES Ratón
DE Maus

C Blaidd
EN Wolf
FR Loup
ES Lobo
DE Wolf

C Arth
EN Bear
FR Ours
ES Oso
DE Bär

Anifeiliaid **33**

C Ceffyl
EN Horse
FR Cheval
ES Caballo
DE Pferd

C Cwningen
EN Rabbit
FR Lapin
ES Conejo
DE Kaninchen

C Iâr
EN Hen
FR Poule
ES Gallina
DE Huhn

C Ci
EN Dog
FR Chien
ES Perro
DE Hund

C Ci bach
EN Puppy
FR Chiot
ES Perrito
DE Welpe

C Cywion
EN Chicks
FR Poussins
ES Pollitos
DE Küken

C Hwyaden
EN Duck
FR Canard
ES Pato
DE Ente

C Asyn
EN Donkey
FR Âne
ES Burro
DE Esel

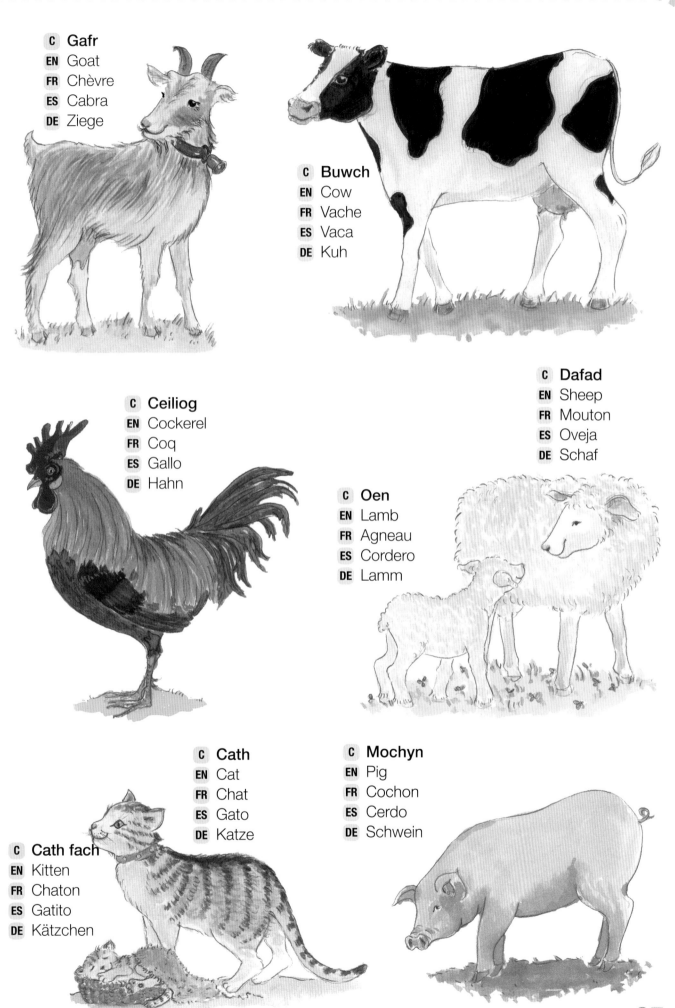

C Gafr
EN Goat
FR Chèvre
ES Cabra
DE Ziege

C Buwch
EN Cow
FR Vache
ES Vaca
DE Kuh

C Ceiliog
EN Cockerel
FR Coq
ES Gallo
DE Hahn

C Dafad
EN Sheep
FR Mouton
ES Oveja
DE Schaf

C Oen
EN Lamb
FR Agneau
ES Cordero
DE Lamm

C Cath
EN Cat
FR Chat
ES Gato
DE Katze

C Mochyn
EN Pig
FR Cochon
ES Cerdo
DE Schwein

C Cath fach
EN Kitten
FR Chaton
ES Gatito
DE Kätzchen

Anifeiliaid **35**

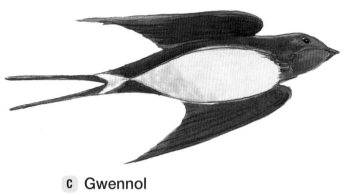

C **Gwennol**
EN Swallow
FR Hirondelle
ES Golondrina
DE Schwalbe

C **Gwylan**
EN Seagull
FR Mouette
ES Gaviota
DE Möwe

C **Colomen**
EN Pigeon
FR Pigeon
ES Paloma
DE Taube

C **Buwch goch gota**
EN Ladybird
FR Coccinelle
ES Mariquita
DE Marienkäfer

C **Pryf**
EN Fly
FR Mouche
ES Mosca
DE Fliege

C **Parot**
EN Parrot
FR Perroquet
ES Papagayo
DE Papagei

C **Alarch**
EN Swan
FR Cygne
ES Cisne
DE Schwan

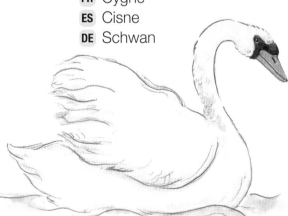

C **Eryr**
EN Eagle
FR Aigle
ES Águila
DE Adler

C Storc
EN Stork
FR Cigogne
ES Cigüeña
DE Storch

C Brân
EN Crow
FR Corbeau
ES Cuervo
DE Krähe

C Glöyn byw
EN Butterfly
FR Papillon
ES Mariposa
DE Schmetterling

C Gwenynen
EN Bee
FR Abeille
ES Abeja
DE Biene

C Gwas y neidr
EN Dragonfly
FR Libelulle
ES Libélula
DE Libelle

C Tylluan
EN Owl
FR Chouette
ES Lechuza
DE Eule

C Paun
EN Peacock
FR Paon
ES Pavo real
DE Pfau

Anifeiliaid **37**

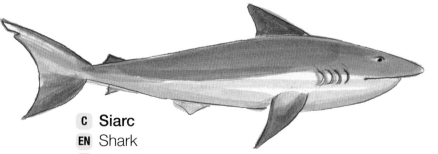

C Siarc
EN Shark
FR Requin
ES Tiburón
DE Hai

C Gwichiad moch
EN Whelk
FR Buccin
ES Caracola
DE Seeschnecke

C Dolffin
EN Dolphin
FR Dauphin
ES Delfín
DE Delphin

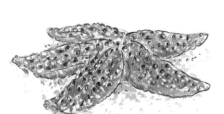

C Cranc
EN Crab
FR Crabe
ES Cangrejo
DE Krebs

C Seren fôr
EN Starfish
FR Étoile de mer
ES Estrella de mar
DE Seestern

C Crwban y môr
EN Turtle
FR Tortue
ES Tortuga
DE Schildkröte

C Cath fôr
EN Ray
FR Raie
ES Raya
DE Rochen

C Morlo
EN Seal
FR Phoque
ES Foca
DE Seehund

C Sardîn
EN Sardine
FR Sardine
ES Sardina
DE Sardine

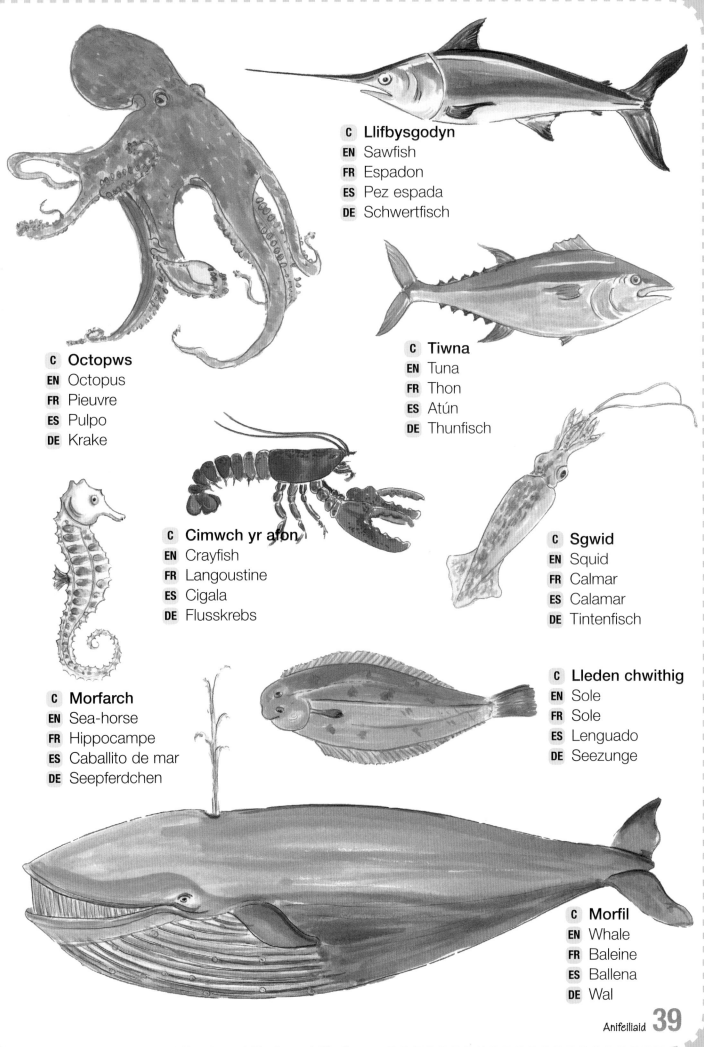

C Llifbysgodyn
EN Sawfish
FR Espadon
ES Pez espada
DE Schwertfisch

C Octopws
EN Octopus
FR Pieuvre
ES Pulpo
DE Krake

C Tiwna
EN Tuna
FR Thon
ES Atún
DE Thunfisch

C Cimwch yr afon
EN Crayfish
FR Langoustine
ES Cigala
DE Flusskrebs

C Sgwid
EN Squid
FR Calmar
ES Calamar
DE Tintenfisch

C Morfarch
EN Sea-horse
FR Hippocampe
ES Caballito de mar
DE Seepferdchen

C Lleden chwithig
EN Sole
FR Sole
ES Lenguado
DE Seezunge

C Morfil
EN Whale
FR Baleine
ES Ballena
DE Wal

Anifeiliaid **39**

Ein Planed

EN Our Planet **FR** Notre Planète
ES Nuestro Planeta **DE** Unser Planet

C Byd
EN World
FR Monde
ES Mundo
DE Welt

C Grønland/Yr Ynys Las
EN Greenland
FR Groenland
ES Groenlandia
DE Grönland

C Gogledd America
EN North America
FR Amérique du Nord
ES América del Norte
DE Nordamerika

C Y Cefnfor Tawel
EN Pacific Ocean
FR Océan Pacifique
ES Océano Pacífico
DE Pazifischer Ozean

C Canolbarth America
EN Central America
FR Amérique Centrale
ES América Central
DE Zentralamerika

C De America
EN South America
FR Amérique du Sud
ES América del Sur
DE Südamerika

C Cefnfor Iwerydd
EN Atlantic Ocean
FR Océan Atlantique
ES Océano Atlántico
DE Atlantischer Ozean

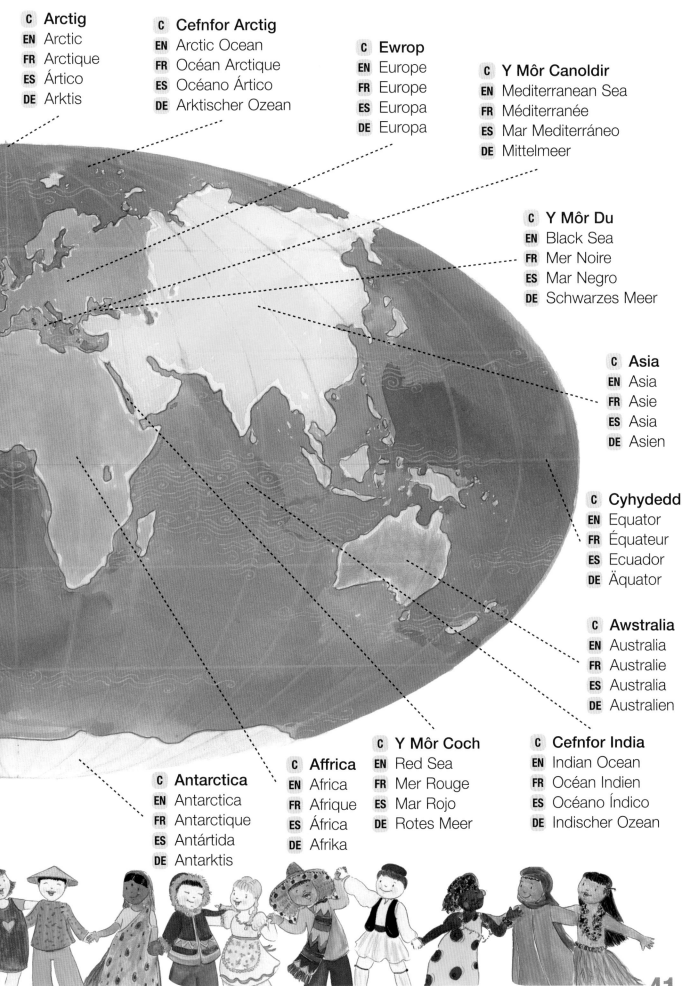

C Arctig
EN Arctic
FR Arctique
ES Ártico
DE Arktis

C Cefnfor Arctig
EN Arctic Ocean
FR Océan Arctique
ES Océano Ártico
DE Arktischer Ozean

C Ewrop
EN Europe
FR Europe
ES Europa
DE Europa

C Y Môr Canoldir
EN Mediterranean Sea
FR Méditerranée
ES Mar Mediterráneo
DE Mittelmeer

C Y Môr Du
EN Black Sea
FR Mer Noire
ES Mar Negro
DE Schwarzes Meer

C Asia
EN Asia
FR Asie
ES Asia
DE Asien

C Cyhydedd
EN Equator
FR Équateur
ES Ecuador
DE Äquator

C Awstralia
EN Australia
FR Australie
ES Australia
DE Australien

C Antarctica
EN Antarctica
FR Antarctique
ES Antártida
DE Antarktis

C Affrica
EN Africa
FR Afrique
ES África
DE Afrika

C Y Môr Coch
EN Red Sea
FR Mer Rouge
ES Mar Rojo
DE Rotes Meer

C Cefnfor India
EN Indian Ocean
FR Océan Indien
ES Océano Índico
DE Indischer Ozean

C = Cymraeg | **EN** = Saesneg | **FR** = Ffrangeg | **ES** = Sbaeneg | **DE** = Almaeneg

C Y Ddaear
EN The Earth
FR La Terre
ES Tierra
DE Die Erde

C Pwyntiau'r Cwmpawd
EN Points of the Compass
FR Points Cardinaux
ES Puntos Cardinales
DE Himmelsrichtungen

C Gogledd
EN North
FR Nord
ES Norte
DE Norden

C Gorllewin
EN West
FR Ouest
ES Oeste
DE Westen

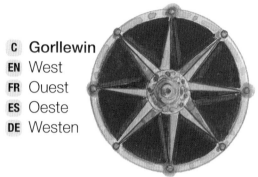

C Dwyra
EN East
FR Est
ES Este
DE Osten

C De
EN South
FR Sud
ES Sur
DE Süden

C Cyfnodau'r lleuad
EN Phases of the Moon
FR Les phases de la lune
ES Fases de la Luna
DE Die Mondphasen

C Dydd
EN Day
FR Jour
ES Día
DE Tag

C Lleuad newydd
EN New moon
FR Nouvelle lune
ES Luna Nueva
DE Neumond

C Lleuad ar ei chynnydd
EN Waxing Crescent
FR Premier quartier de la lune
ES Cuarto Creciente
DE Zunehmender Mond

C Nos
EN Night
FR Nuit
ES Noche
DE Nacht

C Lleuad lawn
EN Full moon
FR Pleine lune
ES Luna Llena
DE Vollmond

C Lleuad ar ei chil
EN Waning Crescent
FR Dernier quartier
ES Cuarto Menguante
DE Abnehmender Mond

C Mellt
EN Lightning
FR Éclair
ES Relámpago
DE Blitz

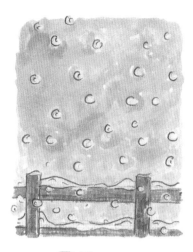

C Eira
EN Snow
FR Neige
ES Nieve
DE Schnee

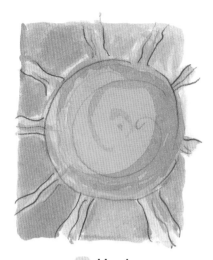

C Haul
EN Sun
FR Soleil
ES Sol
DE Sonne

C Glaw
EN Rain
FR Pluie
ES Lluvia
DE Regen

C Gwynt
EN Wind
FR Vent
ES Viento
DE Wind

C Cymylau
EN Clouds
FR Nuages
ES Nubes
DE Wolken

C Enfys
EN Rainbow
FR Arc-en-ciel
ES Arco iris
DE Regenbogen

C Niwl
EN Fog
FR Brouillard
ES Niebla
DE Nebel

C = Cymraeg | EN = Saesneg | FR = Ffrangeg | ES = Sbaeneg | DE = Almaeneg

C Y tymhorau
EN The seasons
FR Les saisons
ES Las estaciones del año
DE Die Jahreszeiten

C Gwanwyn
EN Spring
FR Printemps
ES Primavera
DE Frühling

C Hydref
EN Autumn
FR Automne
ES Otoño
DE Herbst

C Haf
EN Summer
FR Été
ES Verano
DE Sommer

C Gaeaf
EN Winter
FR Hiver
ES Invierno
DE Winter

C Yr wythnos
EN The week
FR La semaine
ES La semana
DE Die Woche

C Dydd Llun
EN Monday
FR Lundi
ES Lunes
DE Montag

C Dydd Mawrth
EN Tuesday
FR Mardi
ES Martes
DE Dienstag

C Dydd Mercher
EN Wednesday
FR Mercredi
ES Miércoles
DE Mittwoch

C Dydd Iau
EN Thursday
FR Jeudi
ES Jueves
DE Donnerstag

C Dydd Gwener
EN Friday
FR Vendredi
ES Viernes
DE Freitag

C Dydd Sadwrn
EN Saturday
FR Samedi
ES Sábado
DE Samstag

C Dydd Sul
EN Sunday
FR Dimanche
ES Domingo
DE Sonntag

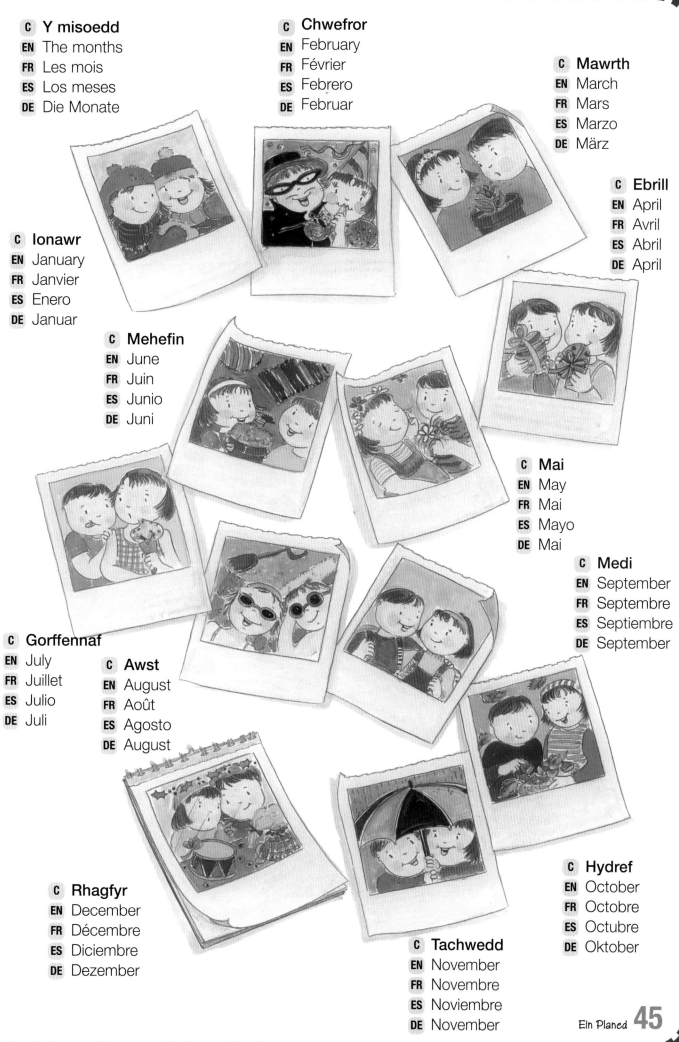

C Y misoedd
EN The months
FR Les mois
ES Los meses
DE Die Monate

C Chwefror
EN February
FR Février
ES Febrero
DE Februar

C Mawrth
EN March
FR Mars
ES Marzo
DE März

C Ebrill
EN April
FR Avril
ES Abril
DE April

C Ionawr
EN January
FR Janvier
ES Enero
DE Januar

C Mehefin
EN June
FR Juin
ES Junio
DE Juni

C Mai
EN May
FR Mai
ES Mayo
DE Mai

C Medi
EN September
FR Septembre
ES Septiembre
DE September

C Gorffennaf
EN July
FR Juillet
ES Julio
DE Juli

C Awst
EN August
FR Août
ES Agosto
DE August

C Rhagfyr
EN December
FR Décembre
ES Diciembre
DE Dezember

C Tachwedd
EN November
FR Novembre
ES Noviembre
DE November

C Hydref
EN October
FR Octobre
ES Octubre
DE Oktober

C Yr amser
EN The time
FR L'heure
ES Las horas
DE Die Uhrzeit

C Wyth o'r gloch
EN Eight o'clock
FR Huit heures
ES Ocho en punto
DE Acht Uhr

C Chwarter wedi wyth
EN A quarter past eight
FR Huit heures et quart
ES Ocho y cuarto
DE Viertel nach acht

C Hanner awr wedi wyth
EN Half past eight
FR Huit heures et demi
ES Ocho y media
DE Halb neun

C Chwarter i naw
EN A quarter to nine
FR Neuf heures moins le quart
ES Nueve menos cuarto
DE Viertel vor neun

C Deffro
EN To wake up
FR Se Réveiller
ES Despertarse
DE Aufwachen

C Cael cawod
EN To have a shower
FR Prendre une douche
ES Ducharse
DE Duschen

C Brecwast
EN Breakfast
FR Petit déjeuner
ES Desayuno
DE Frühstück

C Mynd i'r ysgol
EN To go to school
FR Aller à l'école
ES Ir a la escuela
DE Zur Schule gehen

Ffyrdd o Deithio

C Sbortscar
EN Sports car
FR Voiture de sport
ES Coche deportivo
DE Sportwagen

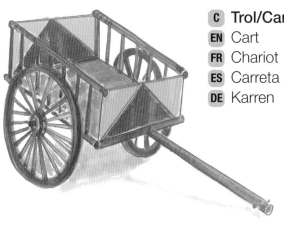

C Trol/Cart/Cert
EN Cart
FR Chariot
ES Carreta
DE Karren

C Sgwter
EN Scooter
FR Trottinette
ES Patinete
DE Roller

C Lori
EN Lorry
FR Camion
ES Camión
DE LKW

C Llong danfor
EN Submarine
FR Sous-marin
ES Submarino
DE U-Boot

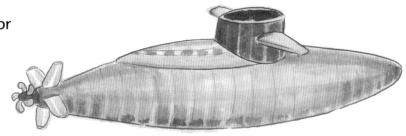

C **Tram**
EN Tram
FR Tramway
ES Tranvía
DE Straßenbahn

C **Awyren**
EN Aeroplane
FR Avion
ES Avión
DE Flugzeug

C **Injan dân**
EN Fire engine
FR Voiture des pompiers
ES Coche de bomberos
DE Feuerwehrauto

C **Car**
EN Car
FR Voiture
ES Coche
DE Auto

C **Fan**
EN Van
FR Camionette
ES Camioneta
DE Lieferwagen

C **Trên**
EN Train
FR Train
ES Tren
DE Zug

C **Hofrennydd**
EN Helicopter
FR Hélicoptère
ES Helicóptero
DE Hubschrauber

C **Canŵ**
EN Canoe
FR Canot
ES Canoa
DE Kanu

C **Tractor**
EN Tractor
FR Tracteur
ES Tractor
DE Traktor

C **Cwch**
EN Boat
FR Bateau
ES Barca
DE Boot

C **Balŵn aer poeth**
EN Hot-air balloon
FR Montgolfière
ES Globo aerostático
DE Heißluftballon

C **Ambiwlans**
EN Ambulance
FR Ambulance
ES Ambulancia
DE Krankenwagen

C Llong
EN Ship
FR Navire
ES Barco
DE Schiff

C Bws
EN Bus
FR Autobus
ES Autobús
DE Bus

C Beic
EN Bicycle
FR Bicyclette
ES Bicicleta
DE Fahrrad

C Motobeic
EN Motorcycle
FR Moto
ES Moto
DE Motorrad

C Coetsh
EN Coach
FR Carrosse
ES Carroza
DE Kutsche

Tai

EN Houses
ES Las Casas
FR Les Maisons
DE Häuser

C Cartref
EN Home
FR Foyer
ES Vivienda
DE Heim

C Palas
EN Palace
FR Palais
ES Palacio
DE Palast

C Nendwr
EN Skyscraper
FR Gratte-ciel
ES Rascacielos
DE Hochhaus

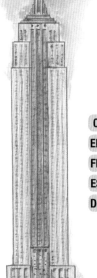

C Bloc o fflatiau
EN Block of flats
FR Immeuble
ES Edificio
DE Gebäude

C Tŷ
EN House
FR Maison
ES Casa
DE Haus

C Cwt ci
EN Kennel
FR Niche
ES Caseta
DE Hundehütte

C Iglw
EN Igloo
FR Igloo
ES Iglú
DE Iglu

C Pabell
EN Tent
FR Tente
ES Tienda de campaña
DE Zelt

C Nyth
EN Nest
FR Nid
ES Nido
DE Nest

C Castell
EN Castle
FR Château
ES Castillo
DE Burg

C Cwt
EN Hut
FR Cabane
ES Cabaña
DE Hütte

C = Cymraeg | **EN** = Saesneg | **FR** = Ffrangeg | **ES** = Sbaeneg | **DE** = Almaeneg

Yr Ystafell Fyw

EN The Living Room   **FR** La Salle de Séjour   **ES** El Salón   **DE** Das Wohnzimmer

C Llun
EN Picture
FR Tableau
ES Cuadro
DE Bild

C Peiriant DVD
EN DVD player
FR Lecteur de DVD
ES Lector de DVD
DE DVD-Player

C Ffôn
EN Telephone
FR Téléphone
ES Teléfono
DE Telefon

C Teledu
EN Television
FR Télévision
ES Televisor
DE Fernseher

C Lle tân
EN Fireplace
FR Cheminée
ES Chimenea
DE Kamin

C Planhigyn
EN Plant
FR Plante
ES Planta
DE Pflanze

C Pot blodau
EN Flower pot
FR Vase
ES Maceta
DE Blumentopf

C Ffrâm
EN Frame
FR Cadre
ES Marco
DE Bilderrahmen

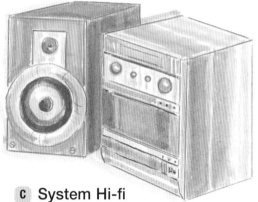

C Cyrten
EN Curtain
FR Rideau
ES Cortina
DE Gardine

C System Hi-fi
EN Hi-fi system
FR Chaîne hi-fi
ES Equipo de sonido
DE Stereoanlage

C Soffa
EN Sofa
FR Canapé
ES Sofá
DE Sofa

C Lamp
EN Lamp
FR Lampe
ES Lámpara
DE Stehlampe

C Bwlb
EN Bulb
FR Ampoule
ES Bombilla
DE Glühbirne

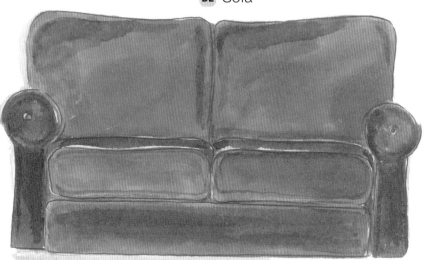

Yr Ystafell Ymolchi

EN The Bathroom **FR** La Salle de Bains **ES** El Cuarto de Baño **DE** Das Badezimmer

C Past dannedd
EN Toothpaste
FR Dentifrice
ES Pasta de dientes
DE Zahnpasta

C Sychwr gwallt
EN Hairdryer
FR Séche-cheveux
ES Secador de pelo
DE Haartrockner

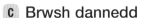

C Brwsh dannedd
EN Toothbrush
FR Brosse à dents
ES Cepillo de dientes
DE Zahnbürste

C Siampŵ
EN Shampoo
FR Shampoing
ES Champú
DE Shampoo

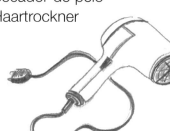

C Sebon
EN Soap
FR Savonnette
ES Jabón
DE Seife

C Cap cawod
EN Shower cap
FR Coiffe de bain
ES Gorro de baño
DE Duschhaube

C Dysgl sebon
EN Soapdish
FR Porte savon
ES Jabonera
DE Seifenschale

C Sbwnj
EN Sponge
FR Éponge
ES Esponja
DE Schwamm

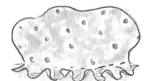

C **Papur toiled**
EN Toilet paper
FR Papier toilette
ES Papel higiénico
DE Toilettenpapier

C **Bide**
EN Bidet
FR Bidet
ES Bidé
DE Bidet

C **Drych**
EN Mirror
FR Miroir
ES Espejo
DE Spiegel

C **Toiled**
EN Toilet
FR Cuvette de WC
ES Inodoro
DE Toilette

C **Poti**
EN Potty
FR Pot
ES Orinal
DE Töpfchen

C **Basn ymolchi**
EN Washbasin
FR Lavabo
ES Lavabo
DE Waschbecken

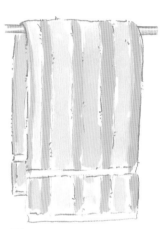

C **Cawod**
EN Shower
FR Douche
ES Ducha
DE Dusche

C **Tywel**
EN Towel
FR Serviette
ES Toalla
DE Handtuch

C **Tap**
EN Tap
FR Robinet
ES Grifo
DE Wasserhahn

C **Cwpwrdd meddygol**
EN Medical cupboard
FR Armoire à pharmacie
ES Armario botiquín
DE Medizinschrank

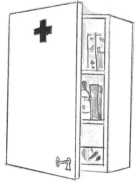

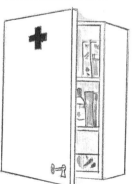

C **Bath**
EN Bath
FR Baignoire
ES Bañera
DE Badewanne

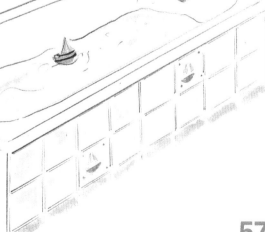

Y Gegin

C **Bin sbwriel**
EN Rubbish bin
FR Poubelle
ES Cubo de basura
DE Mülleimer

C **Brwsh llawr**
EN Broom
FR Balai
ES Escoba
DE Besen

C **Padell lwch**
EN Dustpan
FR Pelle
ES Recogedor
DE Schaufel

C **Mop**
EN Mop
FR Balai serpillière
ES Fregona
DE Wischmop

C **Bwced**
EN Bucket
FR Seau
ES Cubo
DE Eimer

C Cwcer
EN Cooker
FR Cuisinière
ES Fogón
DE Herd

C Popty microdon
EN Microwave oven
FR Micro-ondes
ES Microondas
DE Mikrowelle

C Popty/Ffwrn
EN Oven
FR Four
ES Horno
DE Backofen

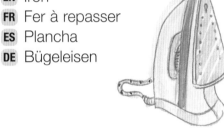

C Peiriant golchi
EN Washing machine
FR Lave-linge
ES Lavadora
DE Waschmaschine

C Haearn smwddio
EN Iron
FR Fer à repasser
ES Plancha
DE Bügeleisen

C Tostiwr
EN Toaster
FR Grille-pain
ES Tostador
DE Toaster

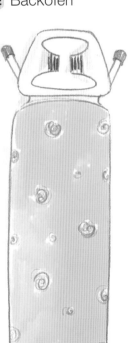

C Cymysgydd llaw
EN Hand blender
FR Mixeur
ES Batidora
DE Pürierstab

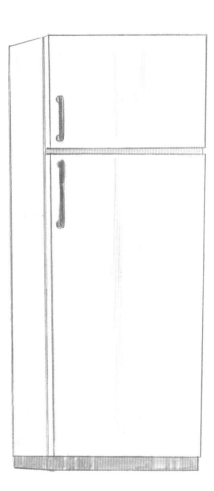

C Oergell
EN Fridge
FR Réfrigérateur
ES Nevera
DE Kühlschrank

C Bwrdd smwddio
EN Ironing board
FR Planche à repasser
ES Tabla de planchar
DE Bügelbrett

C Clorian
EN Scales
FR Balance
ES Balanza
DE Waage

Tai **59**

Yr Ystafell Wely

EN The Bedroom **FR** La Chambre **ES** La Habitación **DE** Das Zimmer

C **Tedi**
EN Teddy bear
FR Ours en peluche
ES Osito de peluche
DE Teddybär

C **Gitâr**
EN Guitar
FR Guitare
ES Guitarra
DE Gitarre

C **Dol**
EN Doll
FR Poupée
ES Muñeca
DE Puppe

C **Pyped**
EN Puppet
FR Marionnette
ES Marioneta
DE Marionette

C Gwely
EN Bed
FR Lit
ES Cama
DE Bett

C Gobennydd/Clustog
EN Pillow
FR Oreiller
ES Almohada
DE Kopfkissen

C Cynfas
EN Sheet
FR Drap
ES Sábana
DE Laken

C Bwrdd ochr gwely
EN Bedside table
FR Table de chevet
ES Mesita de noche
DE Nachttisch

C Blanced
EN Blanket
FR Couverture
ES Manta
DE Bettdecke

C Matras
EN Mattress
FR Matelas
ES Colchón
DE Matratze

C Ceffyl siglo
EN Rocking horse
FR Cheval à bascule
ES Caballito balancín
DE Schaukelpferd

C Cadw-mi-gei
EN Piggy bank
FR Tirelire
ES Hucha
DE Sparschwein

C Clown
EN Clown
FR Clown
ES Payaso
DE Clown

C Llyfr
EN Book
FR Livre
ES Libro
DE Buch

C Pêl
EN Ball
FR Ballon
ES Pelota
DE Ball

C Bocs teganau
EN Toy box
FR Coffre à jouets
ES Caja de juguetes
DE Spielzeugkiste

C Cwpwrdd dillad
EN Wardrobe
FR Armoire
ES Armario ropero
DE Kleiderschrank

Tai **61**

Yn yr Ysgol

EN At School **FR** À l'École
ES En la Escuela **DE** In der Schule

C **Athro**
EN Teacher
FR Professeur
ES Profesor
DE Lehrer

C **Disgyblion**
EN Pupils
FR Élèves
ES Alumnos
DE Schyler

C **Dosbarth Hanes**
EN History class
FR Cours d'histoire
ES Clase de historia
DE Geschichtsunterricht

C **Peintio**
EN To paint
FR Peindre
ES Pintar
DE Malen

C **Tynnu llun**
EN To draw
FR Dessiner
ES Dibujar
DE Zeichnen

C Llyfrau
EN Books
FR Livres
ES Libros
DE Bücher

C Yr wyddor
EN Alphabet
FR Alphabet
ES Alfabeto
DE Alphabet

C Priflythyren
EN Capital letter
FR Majuscule
ES Letra mayúscula
DE Großer Buchstabe

C Llythyren fach
EN Small letter
FR Minuscule
ES Letra minúscula
DE Kleiner Buchstabe

C Lluosi
EN Multiplication
FR Multiplication
ES Multiplicación
DE Multiplikation

C Gymnasteg
EN Gymnastics
FR Gymnastique
ES Gimnasia
DE Turnen

C Adio
EN Addition
FR Addition
ES Suma
DE Addition

C Rhannu
EN Division
FR Division
ES División
DE Division

C Tynnu
EN Subtraction
FR Soustraction
ES Resta
DE Subtraktion

C = Cymraeg | **EN** = Saesneg | **FR** = Ffrangeg | **ES** = Sbaeneg | **DE** = Almaeneg

C Bag ysgol
EN Satchel
FR Cartable
ES Cartera
DE Schulranzen

C Bag cefn
EN Backpack
FR Sac à dos
ES Mochila
DE Rucksack

C Cyfrifiadur
EN Computer
FR Ordinateur
ES Ordenador
DE Computer

C Llygoden
EN Mouse
FR Souris
ES Ratón
DE Maus

C Bysellfwrdd
EN Keyboard
FR Clavier
ES Teclado
DE Tastatur

C Mat llygoden
EN Mouse mat
FR Tapis
ES Alfombrilla de ratón
DE Mauspad

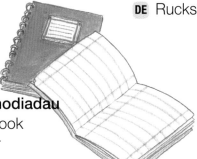

C Llyfr nodiadau
EN Notebook
FR Cahier
ES Cuaderno
DE Heft

C Cas pensiliau
EN Pencil case
FR Trousse
ES Estuche
DE Federmäppchen

C Desg swyddfa
EN Office desk
FR Bureau
ES Mesa de escritorio
DE Schreibtisch

C Desg ysgol
EN School desk
FR Pupitre d'écolier
ES Pupitre
DE Schulbank

C Basged sbwriel
EN Wastepaper basket
FR Corbeille à papiers
ES Papelera
DE Papierkorb

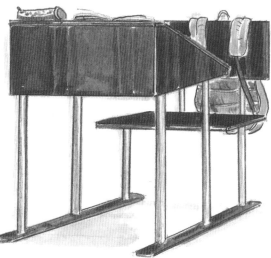

C Cwmpawd
EN Compass
FR Compas
ES Compás
DE Zirkel

C Clai
EN Plasticine
FR Pâte à modeler
ES Plastilina
DE Knetmasse

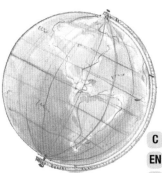

C Glôb
EN Globe
FR Globe
ES Globo terráqueo
DE Globus

C Paent
EN Paint
FR Encre
ES Tinta
DE Farbe

C Pensil droi
EN Propelling pencil
FR Porte-mine
ES Portaminas
DE Drehbleistift

C Glanhawr
EN Duster
FR Brosse à effacer
ES Borrador
DE Schwamm

C Pensil
EN Pencil
FR Crayon
ES Lápiz
DE Bleistift

C Sialc
EN Chalk
FR Craie
ES Tiza
DE Kreide

C Bwrdd du
EN Blackboard
FR Tableau
ES Pizarra
DE Tafel

C Pen
EN Pen
FR Stylo-bille
ES Bolígrafo
DE Kugelschreiber

C Paent pastel
EN Pastel Paint
FR Gouache
ES Aguada
DE Gouache

C Styffylwr
EN Stapler
FR Agrafeuse
ES Grapadora
DE Tacker

C Siswrn
EN Scissors
FR Ciseaux
ES Tijera
DE Schere

C Miniwr pensil
EN Pencil sharpener
FR Taille-crayon
ES Sacapuntas
DE Anspitzer

C Pensiliau lliw
EN Coloured pencils
FR Crayons de couleur
ES Lápices de colores
DE Buntstifte

C Tyllwr
EN Hole Punch
FR Perforeuse
ES Perforador
DE Locher

C Dyfrlliwiau
EN Watercolours
FR Aquarelles
ES Acuarelas
DE Wasserfarben

C Brwsh paent
EN Paint brush
FR Pinceau
ES Pincel
DE Pinsel

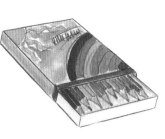

C Pennau ffelt
EN Felt-tip pens
FR Stylo-feutre
ES Rotuladores
DE Filzstifte

C **Sgwâr**
EN Square
FR Carré
ES Cuadrado
DE Viereck

C **Hirgrwn**
EN Oval
FR Ovale
ES Óvalo
DE Oval

C **Triongl**
EN Triangle
FR Triangle
ES Triángulo
DE Dreieck

C **Cylch**
EN Circle
FR Cercle
ES Círculo
DE Kreis

C **Petryal**
EN Rectangle
FR Rectangle
ES Rectángulo
DE Rechteck

C **Côn**
EN Cone
FR Cône
ES Cono
DE Kegel

C **Ciwb**
EN Cube
FR Cube
ES Cubo
DE Würfel

C **Silindr**
EN Cylinder
FR Cylindre
ES Cilindro
DE Zylinder

C **Sffêr**
EN Sphere
FR Sphère
ES Esfera
DE Kugel

C **Pyramid**
EN Pyramid
FR Pyramide
ES Pirámide
DE Pyramide

C **Ciwboid**
EN Cuboid
FR Parallélépipède
ES Paralelepípedo
DE Quader

C **Gwyrdd**
EN Green
FR Vert
ES Verde
DE Grün

C **Brown**
EN Brown
FR Marron
ES Marrón
DE Braun

C **Gwyn**
EN White
FR Blanc
ES Blanco
DE Weiß

C **Oren**
EN Orange
FR Orange
ES Naranja
DE Orange

C **Glas**
EN Blue
FR Bleu
ES Azul
DE Blau

C **Coch**
EN Red
FR Rouge
ES Rojo
DE Rot

C **Porffor**
EN Purple
FR Violet
ES Morado
DE Lila

C **Du**
EN Black
FR Noir
ES Negro
DE Schwarz

C **Llwyd**
EN Grey
FR Gris
ES Gris
DE Grau

C **Pinc**
EN Pink
FR Rose
ES Rosa
DE Rosa

C **Melyn**
EN Yellow
FR Jaune
ES Amarillo
DE Gelb

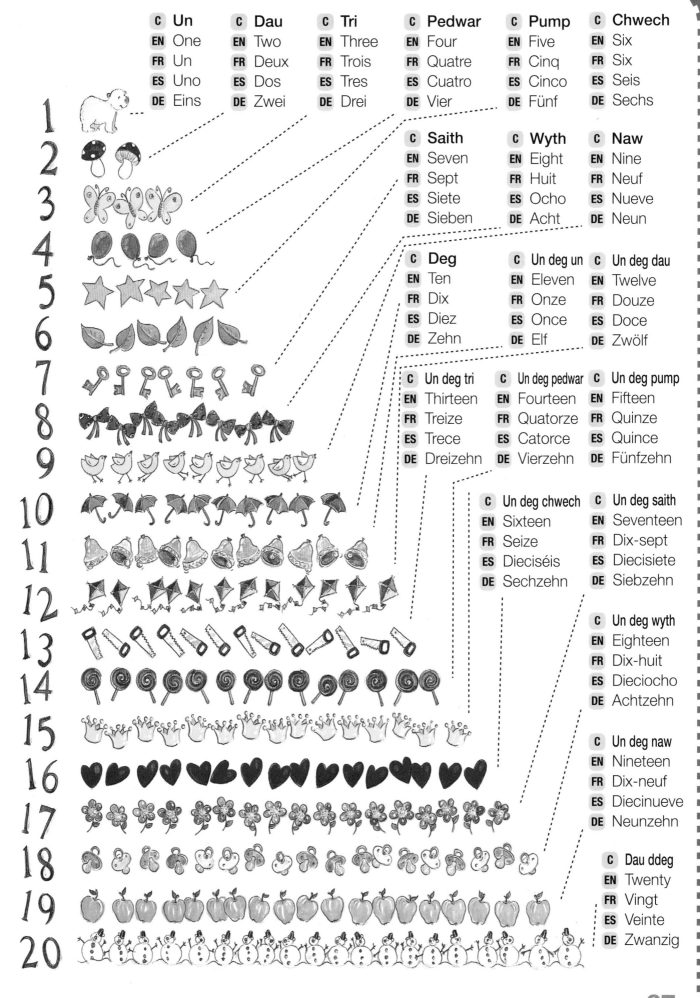

C Un	**C** Dau	**C** Tri	**C** Pedwar	**C** Pump	**C** Chwech
EN One	**EN** Two	**EN** Three	**EN** Four	**EN** Five	**EN** Six
FR Un	**FR** Deux	**FR** Trois	**FR** Quatre	**FR** Cinq	**FR** Six
ES Uno	**ES** Dos	**ES** Tres	**ES** Cuatro	**ES** Cinco	**ES** Seis
DE Eins	**DE** Zwei	**DE** Drei	**DE** Vier	**DE** Fünf	**DE** Sechs

C Saith	**C** Wyth	**C** Naw
EN Seven	**EN** Eight	**EN** Nine
FR Sept	**FR** Huit	**FR** Neuf
ES Siete	**ES** Ocho	**ES** Nueve
DE Sieben	**DE** Acht	**DE** Neun

C Deg	**C** Un deg un	**C** Un deg dau
EN Ten	**EN** Eleven	**EN** Twelve
FR Dix	**FR** Onze	**FR** Douze
ES Diez	**ES** Once	**ES** Doce
DE Zehn	**DE** Elf	**DE** Zwölf

C Un deg tri	**C** Un deg pedwar	**C** Un deg pump
EN Thirteen	**EN** Fourteen	**EN** Fifteen
FR Treize	**FR** Quatorze	**FR** Quinze
ES Trece	**ES** Catorce	**ES** Quince
DE Dreizehn	**DE** Vierzehn	**DE** Fünfzehn

C Un deg chwech	**C** Un deg saith
EN Sixteen	**EN** Seventeen
FR Seize	**FR** Dix-sept
ES Dieciséis	**ES** Diecisiete
DE Sechzehn	**DE** Siebzehn

C Un deg wyth
EN Eighteen
FR Dix-huit
ES Dieciocho
DE Achtzehn

C Un deg naw
EN Nineteen
FR Dix-neuf
ES Diecinueve
DE Neunzehn

C Dau ddeg
EN Twenty
FR Vingt
ES Veinte
DE Zwanzig

1
2
3
4
5
6
7
8
9
10
11
12
13
14
15
16
17
18
19
20

Swyddi

EN Jobs

ES Las Profesiones

FR Les Métiers

DE Berufe

C **Dawnswraig fale**

EN Ballet dancer

FR Danseuse

ES Bailarina

DE Tänzerin

C **Meddyg**

EN Doctor

FR Médecin

ES Doctora

DE Ärztin

C **Gohebydd**

EN Journalist

FR Journaliste

ES Periodista

DE Journalistin

C **Barnwr**

EN Judge

FR Juge

ES Juez

DE Richter

C **Cogydd**

EN Cook

FR Cuisinier

ES Cocinero

DE Koch

C **Cyfreithiwr**

EN Lawyer

FR Avocat

ES Abogado

DE Rechtsanwalt

C Awdur
EN Writer
FR Écrivain
ES Escritor
DE Schriftsteller

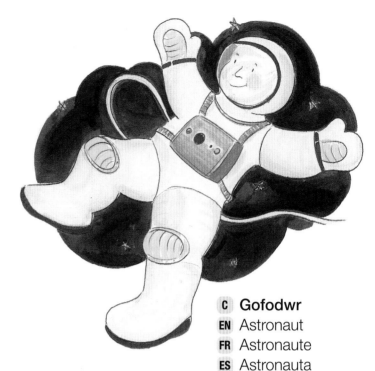

C Gofodwr
EN Astronaut
FR Astronaute
ES Astronauta
DE Astronaut

C Arlunydd
EN Artist
FR Peintre
ES Pintor
DE Maler

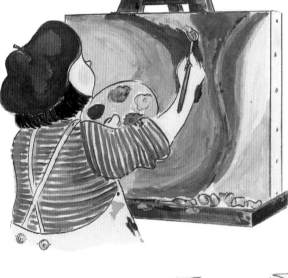

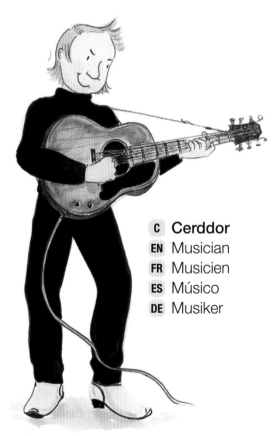

C Cerddor
EN Musician
FR Musicien
ES Músico
DE Musiker

C Arbenigwr cyfrifiadurol
EN Computer expert
FR Informaticien
ES Ínformático
DE Informatiker

Swyddi **69**

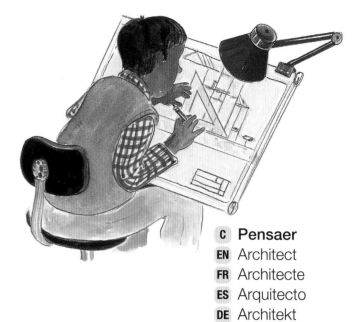

C **Pensaer**
EN Architect
FR Architecte
ES Arquitecto
DE Architekt

C **Gyrrwr lori**
EN Lorry driver
FR Chauffeur routier
ES Camionero
DE LKW-Fahrer

C **Gwniadwraig**
EN Dressmaker
FR Couturière
ES Costurera
DE Schneiderin

C **Diffoddwr tân**
EN Firefighter
FR Pompier
ES Bombero
DE Feuerwehrmann

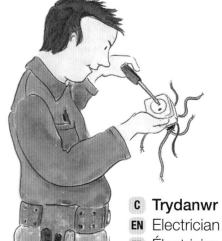

C **Trydanwr**
EN Electrician
FR Électricien
ES Electricista
DE Elektriker

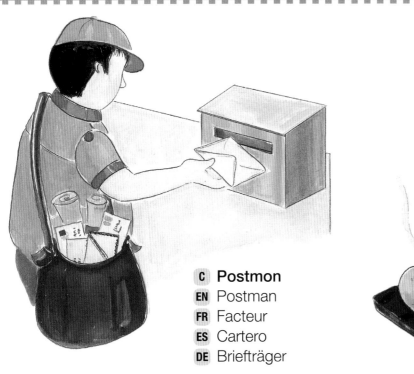

C **Postmon**
EN Postman
FR Facteur
ES Cartero
DE Briefträger

C **Pobydd**
EN Baker
FR Boulanger
ES Panadero
DE Bäcker

C **Mecanic**
EN Mechanic
FR Mécanicien
ES Mecánico
DE Mechaniker

C **Cantorion**
EN Singers
FR Chanteurs
ES Cantantes
DE Sänger

C **Plismon**
EN Police officer
FR Policier
ES Policía
DE Polizist

C **Merch trin gwallt**
EN Hairdresser
FR Coiffeuse
ES Peluquera
DE Friseurin

Swyddi **71**

Chwaraeon

EN Sports

FR Les Sports

ES Los Deportes

DE Sportarten

C **Tennis**
EN Tennis
FR Tennis
ES Tenis
DE Tennis

C **Sgïo**
EN Skiing
FR Ski
ES Esquí
DE Skifahren

C **Dringo**
EN Climbing
FR Escalade
ES Alpinismo
DE Bergsteigen

C **Hoci**
EN Hockey
FR Hockey
ES Hockey
DE Hockey

C Sglefrio
EN Skating
FR Patinage
ES Patinaje
DE Eiskunstlauf

C **Marchogaeth**
EN Riding
FR Équitation
ES Equitación
DE Reitsport

C **Beicio**
EN Cycling
FR Cyclisme
ES Ciclismo
DE Radsport

C **Golff**
EN Golf
FR Golf
ES Golf
DE Golf

C **Pêl-law**
EN Handball
FR Handball
ES Balonmano
DE Handball

C = Cymraeg | **EN** = Saesneg | **FR** = Ffrangeg | **ES** = Sbaeneg | **DE** = Almaeneg

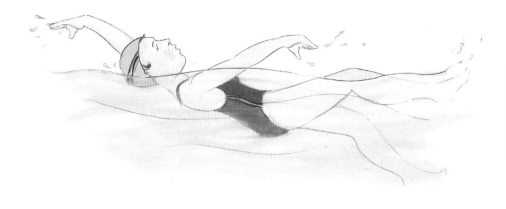

C **Nofio**
EN Swimming
FR Natation
ES Natación
DE Schwimmen

C **Pêl-fasged**
EN Basketball
FR Basket
ES Baloncesto
DE Basketball

C **Athletau**
EN Athletics
FR Athlétisme
ES Atletismo
DE Leichtathletik

C **Rasio ceir**
EN Motor Racing
FR Automobilisme
ES Automovilismo
DE Motorsport

C **Carate**
EN Karate
FR Karaté
ES Karate
DE Karate

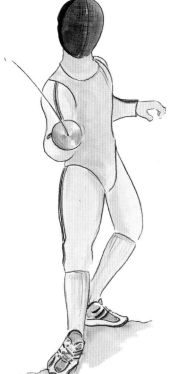

C Hwylfyrddio
EN Windsurfing
FR Planche à voile
ES Windsurf
DE Windsurfen

C Pysgota
EN Fishing
FR Pêche
ES Pesca
DE Angeln

C Pêl-droed
EN Football
FR Football
ES Fútbol
DE Fußball

C Jiwdo
EN Judo
FR Judo
ES Yudo
DE Judo

C Ffensio
EN Fencing
FR Escrime
ES Esgrima
DE Fechten

Geiriadur
Lluniau i Blant

Illustrated Dictionary for Children

Y fersiwn wreiddiol © Euro Impala UK Ltd 2011 *Illustrated Dictionary for Children* (Argraffiad cyntaf) trwy drefniant ag Euro Impala UK Ltd

Cyhoeddir y cyhoeddiad hwn gan Atebol Cyf 2012. Cedwir y cyfan o'r hawliau.
Hawlfraint ©Atebol Cyfyngedig 2012

ISBN 978-1-908574-07-7

Addaswyd gan **Glyn Saunders Jones**
Golygwyd gan **Menna Wyn, Edith Gruber** ac **Adran Olygyddol Cyngor Llyfrau Cymru**
Dyluniwyd gan **stiwdio@ceri-talybont.com**

Mae'r cyhoeddwyr yn cydnabod cymorth ariannol Cyngor Llyfrau Cymru

Cyhoeddwyd yng Nghymru gan Atebol Cyfyngedig, Adeiladau'r Fagwyr, Llanfihangel Genau'r Glyn, Aberystwyth, Ceredigion SY24 5AQ
www.atebol.com